© Éditions Gallimard, 1995
Dépôt légal : novembre 1995
Numéro d'édition : 72817
Loi n°49956 du 16 juillet 1949
sur les publications destinées à la jeunesse
Impression et reliure :
Pollina s.a., 85400 Luçon - n° 68371

# Le Roi ZinZin

Alex Sanders - Romain Page

Gallimard Jeunesse - Giboulées

Voici comment un jour, un roi
extraordinaire vola sur un balai de
sorcière avec les oreilles peintes
en vert.
Il s'appelait ZinZin, ou plutôt
Sa Sérénissime Altesse Impériale le
Roi ZinZin. Car c'était un
grand roi.

Son château s'appelait Goulba-
Goulba. Personne ne savait
pourquoi et tout le monde le
trouvait affreux.
Le Roi ZinZin, lui, le trouvait
magnifique. C'était lui qui l'avait
peint.

Un jour qu'il prenait un bain de soleil sur sa terrasse, il décida de se peindre les oreilles. «Bleu, rouge, ou vert?» se demandait-il, lorsque tout à coup apparut une sorcière.

«Pourquoi me regardez-vous comme cela, nom d'un poil de nez! bougonna-t-elle, vous n'avez jamais vu de sorcière?!»
«Jamais d'aussi jolie, répondit-il. Vous êtes plus ravissante qu'une fleur.»
«Ne vous moquez pas de moi, saperlipopette, ou je vous transforme en crotte de nez!» s'écria la sorcière.

Mais le Roi ZinZin ne se moquait point. Il trouvait la sorcière vraiment belle et il l'invita à rester dîner.

«Quelle bonne idée! ricana la sorcière, je vais vous préparer une de mes spécialités.»

«Trois crottes de nez, deux chaussettes trouées, sept grosses araignées, et on touille, on touille, une douzaine de poux, cinq litres d'eau d'égout, deux oreilles de loup et c'est tout!» chantonnait la sorcière.

«Comme cela sent bon! disait le Roi ZinZin. Je vais inviter mes amis les rois et les reines pour goûter ce délice.»

À l'heure du dîner, tout le monde était là. Sa Majesté le Roi MiamMiam, Son Excellence la Reine BoBo, Son Excellence Sérénissime le Roi DoDo et Son Altesse Royale la Reine GuiliGuili. «Chers amis! s'exclama le Roi ZinZin, ma nouvelle fiancée vous a préparé un succulent festin!»
La sorcière sortit alors de la cuisine avec le chaudron fumant...

«Quelle odeur bizarre! s'exclama le Roi DoDo. J'aurais mieux fait de rester couché...»

«Cette soupe ne chatouille point mon gosier!» gronda la Reine GuiliGuili.

«Pouah! c'est dégoûtant!» hurla la Reine BoBo en tombant de sa chaise.

Même le Roi MiamMiam, qui pourtant n'était pas difficile, trouva la soupe infecte.

«Ne partez pas! Ne partez pas!
criait le Roi ZinZin, je vais vous
peindre en vert!»
Mais les rois et les reines ne
voulaient pas rester une seconde de
plus dans ce château de fou!
«C'est de votre faute!» hurla le Roi
ZinZin à la sorcière qui ricanait
dans son coin.

Alors le roi s'empara d'un casse-tête et d'une grande épée. «Saperlipopette!» hurla la sorcière. En un rien de temps, elle jeta un sort, et transforma le chaudron en un féroce dragon.

Le Roi Zinzin se battit comme un lion et transperça le dragon d'un grand coup d'épée.
La sorcière supplia le roi de ne pas la tuer.
«Épargnez-moi, bon Roi, et je vous offrirai mon balai magique...»

Le Roi ZinZin ne la tua point.
Et voilà pourquoi, si l'on regarde en
l'air, on voit parfois un roi sur un
balai de sorcière.